D0726651

York St John
Library and Information Services

Please return this item on or before the due date stamped below (if
using the self issue option users may write in the date themselves),
If recalled the loan is reduced to 10 days.

Fines are payable for late return

*Tony Ross est en relation étroite avec l'hôpital
pour enfants A.H. de Liverpool,
et l'idée de cette aventure de la petite princesse
lui a été suggérée par les équipes médicales
et les jeunes malades.*

TRADUCTION D'ANNE DE BOUCHONY

ISBN: 2-07-054824-4
Titre original: *I Don't Want to Go to Hospital*
Publié par Andersen Press Ltd., Londres
© Tony Ross, 2000, pour le texte et les illustrations
© Gallimard Jeunesse, 2000, pour la traduction française,
2004, pour la présente édition

Numéro d'édition: 03981
Loi n° 46-956 du 16 juillet 1949
sur les publications destinées à la jeunesse
Dépôt légal: février 2004
Imprimé en Italie par Editoriale Lloyd
Réalisation Octavo

Tony Ross

Je ne veux pas aller à l'hôpital !

GALLIMARD JEUNESSE

– Aïe, aïe, aïe ! s'écria la petite
princesse en pleurant. J'ai mal au nez !

– Tu t'es fait une petite bosse, dit le docteur.

– Je vais l'enlever, dit le général
en dégainant son épée.

– Non, dit le docteur, elle ne va pas s'en aller comme ça. Sa Majesté doit aller à l'hôpital.

– Non ! s'écria la petite princesse en pleurant.
Je ne veux pas aller à l'hôpital !

– C'est agréable, l'hôpital, dit le docteur.
Tu auras des friandises et des cartes à jouer.
– Je ne veux pas y aller ! répéta la princesse.

– C'est agréable, l'hôpital, dit la reine
qui y avait séjourné.
– Je ne veux pas y aller, dit la princesse.

– Tu vas rencontrer beaucoup de nouveaux amis
à l'hôpital, dit le Premier ministre.

– Non ! Je ne *veux* pas aller à l'hôpital, dit la princesse, et elle sortit de sa chambre en courant.

– Où est la princesse ? s'écria la reine.
Il faut y aller.

– Elle n'est pas dans sa chambre,
dit la gouvernante.

– Elle n'est pas dans la poubelle,
dit le cuisinier.

– Elle n'est à bord d'aucun de mes bateaux,
dit l'amiral.

– Elle n'est pas sur le toit, dit le jardinier.

– La voilà ! dit le roi.
– Je ne veux pas aller à l'hôpital, dit la princesse.

Mais la petite princesse dut y aller.

Et la bosse disparut de son nez.

– Maintenant que tu vas mieux, dit la reine,
tu peux te laver les dents, et te coiffer...

... et ranger ta chambre, et...
– Non ! s'écria la princesse...

... Je veux qu'on m'enlève les amygdales !

– Mais, pourquoi ? demanda la reine.
– Je veux retourner à l'hôpital, répondit
la petite princesse...

... Là-bas, je suis traitée comme une princesse.

L'AUTEUR - ILLUSTRATEUR

Tony Ross est né à Londres en 1938. Après des études de dessin, il travaille dans la publicité. Devenu professeur à l'École des beaux-arts de Manchester, il révèle de nouveaux talents dont Susan Varley. En 1973, il publie ses premiers livres pour enfants.

Sous des allures de rêveur fantaisiste et volontiers farceur, cet amateur de voile est un travailleur acharné : on lui doit des centaines d'albums, de couvertures, d'illustrations de fictions (souvenons-nous de la série des « William » de Richmal Crompton...). L'abondance de son œuvre n'a d'égale que sa variété : capable de mettre son talent au service des textes des plus grands auteurs (Roald Dahl, Oscar Wilde, Paula Danziger), il est aussi le créateur d'albums inoubliables.

Une grande exposition intitulée « Des yeux d'enfant » lui a été consacrée à Saint-Herblain au printemps 2001.

folio benjamin